지난 줄거리

주카와 혼테일의 혼인을 위해 신탁을 받던 와일드카고 킹은 혼테일과 주카의 엄청난 비밀을 알게 되고, 혼테일은 주카를 납치해 사라진다. 한편 델리키는 기억을 찾기 위해 라케니스, 혼테일, 주카와 함께 슈미와 친구들의 뒤를 쫓기 시작하고, 도도 일행은 하늘둥지에서 드래곤마스터를 꿈꾸는 마법사 〈델〉 가문의 델리코와 동행하게 된다. 〈생명의 숲〉을 찾아가던 도도 일행은 귀마 그리프의 공격과 갑작스러운 드래곤의 공격도 피하지만 드래곤은 무슨 일인지 아루루만을 경계하는데….

 오프라인 RPG **38**

• **1판 1쇄 인쇄** | 2010년 2월 5일 | • **1판 1쇄 발행** | 2010년 2월 20일 | • **글** | 동암 송도수 | • **그림** | 서정은 • **발행인** | 유승삼 • **편집인** | 이광표 • **편집팀장** | 최원영 • **편집** | 이은정, 방유진, 이희진, 오혜환 • **표지 및 본문 디자인** | design86 • **마케팅 담당** | 홍성현 • **제작 담당** | 이수행 • **발행처** | 서울문화사 • **등록일** | 1988. 2. 16. • **등록번호** | 제2-484 • **주소** | 140-737 서울특별시 용산구 한강로 2가 2-35 • **전화** | 791-0754(판매) 799-9147(편집) • **팩스** | 749-4079(판매) 799-9300(편집) • **출력** | 지에스테크 • **인쇄처** | 서울교육 ISBN 978-89-532-9437-0(세트) 978-89-263-9020-7

코믹 메이플스토리는 인기 온라인 게임 메이플스토리의 캐릭터를 이용하여 만들어진 코믹북입니다.
www.maplestory.com

캐릭터 소개

도도

명랑 쾌활 긍정적인 성격으로 영웅을 꿈꾸는 전사. 불의를 보면 참지 못하는 정의파.

아루루

다소 무뚝뚝한 성격이지만 뛰어난 운동신경과 명석한 두뇌를 지닌 솔선수범 행동파.

델리키

수줍음 많고 얌전한 성격이지만 메이플 최고의 마법사가 되기 위해 항상 노력하는 열정파.

바우

지나치게(?) 씩씩하고 활발한 성격으로 어떤 상황에서도 자신감이 철철 넘치는 당당한 소녀.

슈미

세계수의 딸로서 세상을 다시 평화롭게 만들라는 사명을 지닌 용감하고 지혜로운 소녀.

주카

와일드카고 족의 공주. 호기심 많은 성격으로, 인간으로 변신할 수 있는 능력이 있음.

카이린

바다의 귀족답게 공주 기질이 있지만 두둑한 배짱과 쌍권총 실력이 일품인 친방지축 소녀.

혼테일

강력한 힘과 위엄으로 주위를 압도하는 절대마룡. 주카에 대한 애틋한 마음을 품고 있음.

어딜, 손님 거야!

빨리 가서
때 빡빡 밀고 와!
대충 물만 끼얹으면
안 돼! 알았어?

그리고 너!
목욕 좀 하랬지?
손님들한테
잘 보여야 분양이
될 것 아냐!

애들아, 고깃국이 맛있게 끓는 중이니까 조금만 기다려라~.

예

저… 그런데요, 드래곤이 왜 아루루를 거부하는 거예요?

맞아, 나도 궁금했어.

그, 글쎄다….

삐질!

아루루가 도적이라는 걸 눈치챘나? 자기 물건 훔쳐갈까봐….

아, 바로 그거다! 드래곤은 아주 *예민하거든.

하하, 전 의적이라 그런 걱정은 안하셔도 돼요.

대체 뭘 보고 알아본 거지?

*예민하다 : 어떤 일을 느끼거나 받아들이는 것이 날카롭고 빠르다.

뭔가 숨기는 게 분명해!

그건 그렇고…
혹시 너희 중에 드래곤 분양받을 사람 없니?

델리코요! 얘 꿈이 드래곤 마스터거든요. 지금 평생을 함께할 드래곤을 찾는 중이에요.

축하한다, 델리코! 넌 세상에서 가장 멋진 드래곤을 갖게 된 거야!

숙희야~~!

드래곤 이름이 숙희예요?

응, 얘는 성도 있단다. 허숙희!

헐~.

나도 처음엔 얘 이름을 몰랐지. 근데 지나가던 사람이 얘를 보고 모두 〈허숙희〉라고 부르더라고.

그건 이 드래곤이 〈오시리안 허스키〉종이란 뜻이에요! 정말 드래곤 전문가 맞아요?

허, 허스… 키? 이상하다… 분명히 허숙희였는데?

근데 〈오시리안 허스키〉가 뭐야?

고대 오시리아 원주민들이 키웠다는 드래곤인데, 근사한 쉰 목소리 때문에 '허스키'란 이름이 붙었죠.

〈코믹 메이플스토리〉를 통해 전하는 내 마음! ♥
곁에 없으면 항상 함께하던 친구가 사라진 것 같아요. 〈코믹 메이플스토리〉는 삶의 활력소가 된답니다! (백선영 | 서울시 영등포구 영등포동)

어쨌든~! 우리 숙희가 족보 있는 드래곤이라는 거잖아?

물론 〈오시리안 허스키〉가 최고라는 건 알아요. 하지만 그것도 드래곤 나름이지요.

드래곤을 평가할 때 중요하게 살피는 네 가지가 있어요. 치아, 피부, 아랫배, 눈! 제가 지금부터 하나씩 살펴보도록 하죠.

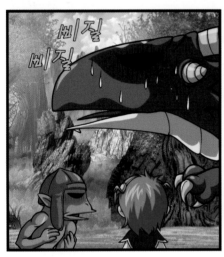

삐질 삐질

하악~

첫 번째, 치아! 어휴~, 썩은 냄새가 진동을 하는군요.

두 번째, 피부! 최소 300년 이상은 목욕을 안 한 것으로 보여요.

꼬질 꼬질

세 번째, 아랫배! 세상에나~ 터지기 직전이네요. 숨쉬기 운동 말고는 어떤 운동도 안 했다는 걸 알 수 있죠.

뚱~

끝으로 가장 중요한 눈! 아~무 생각도 없어 보이죠? 머리가 완벽하게 텅~ 비었단 뜻이에요.

딴 건 몰라도 눈은 바우랑 되게 비슷하다~!

뭐?!

따라서~! 이 드래곤은 〈오시리안 허스키〉 종이지만 멍청하고 게을러터져서 *웃돈 붙여 데려가라고 해도 아무도 데려가지 않을 불량 드래곤이 확실합니다!

*웃돈 : 본래의 값에 덧붙이는 돈.

야, 네가 뭔데 우리 숙희를 울려? 네가 그렇게 잘났어?!

그래, 델리코 네가 좀 심하긴 했어. 어서 사과해!

〈코믹 메이플스토리〉를 통해 전하는 내 마음! ♥

〈코믹 메이플스토리〉를 만드신 송도수, 서정은 작가님!! 2010년에도 잘 부탁드려요~.^^
(김동성 | 경남 양산시 매곡동)

죄, 죄송해요….

죄송하면 우리 숙희 데려가!

그건 안 되죠! 평생을 함께할 드래곤을 고르는 건데…!

저기, 말씀 중에 죄송한데요, 일단 밥부터 먹으면서….

미쳤냐, 내가 너희들한테 밥을 주게!

잠깐만요!

델리코…!

숙희를 분양받아!

바우 누나, 그럴 순 없어요!
저한테는 평생이 걸린….

그냥 받아! 사람이 밥은
먹어야 되잖냐, 응?

바우야, 참아!
한 끼 굶는다고
어떻게 되는 것도….

난 어떻게 돼—!!!!!

동생아, 누나로서 충고하는데
숙희 분양받고 따뜻한
밥 먹자, 응?

불쌍한 델리코….

아…,
이게 내
운명인가…!

드래곤마스터를 꿈꾸는 자여,
그대의 가슴을 사랑으로 뛰게 만든
첫 번째 소녀를 놓치지 말라.
그대와 평생을 함께 할 드래곤은
바로 그 소녀에 의해 선택될 것이니,
그것이 모든 드래곤마스터의 운명이니라.

알았어요.
숙희 분양받을게요.

평생을 꿈꾼 순간이
이렇게 강제로
결정되버리다니….

경사났네~!
경사났어~!

델리코, 기운내….
의외로 좋은 드래곤
일지도 모르잖아.

아… 내 돈!! 어릴 때부터 한 푼도 안 쓰고 모은 세뱃돈에다가 아빠가 좋은 드래곤 분양받으라고 보태주신 전재산인데….

오케이~! 계약 끝!

그럼 이제 밥….

그래, 당장 차려 오마. 숙희야, 새 주인님이랑 놀고 있어~!

히히, *수지맞았네~!

*수지맞다 : 장사와 사업 따위에서 이익이 남다.

잠깐만요…!

궁금한 게
있어서요….

응?

드래곤이 아루루를
거부하는 이유가….

아까 말했잖아.
우리 숙희가 좀
예민하다고….

금강산호 때문이죠?

아빠가 그러셨어요.
드래곤은 생물의 몸 속을
꿰뚫어보는 신통력이
있다고….

근데 걔는 어쩌다가
그런 걸 몸 속에
넣었대나?

〈지옥의 냉기〉에 감염되어 죽을 뻔한 적이 있었어요. 그때 냉기를 몰아내려고….

아무리 그래도 그렇지, 어떻게 그런 흉물을…!

흉물이라고요? 오히려 아루루에게 큰 힘을 준 고마운 녀석인걸요! 물을 너무 마시게 만들어서 골치긴 했지만….

그랬을 거야. *유생(幼生)이 자라는 데는 엄청난 양의 물이 필요하니까.

근데 요즘엔 물을 별로 안 마셔요.

유생이 번데기가 되어 잠에 빠졌다는 뜻이지.

*유생(幼生) : 탈바꿈하는 동물의 어린 것.

유, 유생이요? 그럼 잠에서 깨면….

번데기에서 *성체(成體)가 태어날 거다. 말하자면 네 친구의 왼팔에 공포의 *기생(寄生) 몬스터가 자리잡는 것이지!

*성체(成體) : 다 자라 생식 능력이 있는 동물.

*기생(寄生) : 스스로 생활하지 못하고 다른 사람을 의지하며 생활함. 더부살이.

하지만 그건 시작에 불과해. 녀석은 엄청난 욕심쟁이거든. 머잖아 오른팔과 양다리, 그리고 몸통으로 뻗어 나가…

끝으로 뇌에 뿌리내리는 순간…

그만―!!

금강산호를 없앨 방법이 없을까요…?

없다!

카이린, 여기 있었구나! 한참 찾았잖아.

아루루….

애들이 다 먹어 버리기 전에 어서 가자!

아니, 난….

그냥 안 먹을래.

왜?

…….

너 어디 아파? 왜 그러는데?

카이린….

족좌좌

〈코믹 메이플스토리〉를 통해 전하는 내마음! ♥

〈코믹 메이플스토리〉는 나의 보물 1호!! 내 가슴을 콩닥콩닥하게 하고 찡~하게도 하는 신비로운 책!! 작가님들 힘내세요~! (박상아 | 서울시 노원구 월계1동)

많이
아픈 거야?

아루루….

응?!
뭐든 말해봐.

날 걱정해 줘서
고마워….

그만 가자,
애들 기다리겠다.

… 싱겁긴.

후다닥

숙희야, 네 최대
장점인 애교 부리기로
사랑을 듬뿍 받으렴~!

으…,
저 덩치에 웬 애교…?

어! 카이린, 어디 갔었어?

그리고 잰…, 아직 금강산호가 번데기 속에 있으니까 당분간은 괜찮을 거야. 그러니 너무 겁먹지 마.

소곤 소곤

드래곤도 말할 수 있어?

드래곤은 말 못 해요. 그 대신 텔레파시로 대화하죠. 함께 지내다보면 저절로 통하게 돼요.

숙희야, 사랑한다…. 부디 건강해라…!

출발~!

바우야! 더욱 밝고 명랑하게 2010년을 보내렴~. (유하은 | 전남 장성군 삼계면)

 *19

까닥까닥

괜찮아?

얼씨구~
*호강에 겨워서
아주 생쇼를
해요~!

*호강 : 호화롭고 편안한 삶을 누림.

히히….

어서들 오십쇼~!
드래곤을 분양받으러 오셨나?

드래곤은
여기 있는데…?

사람을 찾고 있다.

요렇게 생긴
아주 얄밉고 못된
애들이에요.

걔들은 왜?!

그건 알 것 없고,
혼나기 싫으면
어서 말해!

아니, 지금
이 핀호브를
협박하는 거야?

이거 간만에 몸 좀
풀어야겠구먼~!

에잇─!

주, 죽을 죄를 지었습니다!

넘 죽

금방 꼬리 내릴 걸 설치기는~.

더 해 볼 텐가?

꼬맹이들은 어디 있어요?

서쪽으로 갔습니다. 〈용의 협곡〉 방향이죠.

역시… 가자!

배고파요. 뭐 좀 먹고 가요!

당나귀 타고 편히 온 주제에 왜 배가 고파?

어머머! 내 배가 고프다는데 네가 무슨 상관이야?

식사를 준비할 수 있나?

그, 그럼요!

잠깐 쉬었다 간다.

아싸~! 메뉴가 뭐예요?

츄다닥

〈코믹 메이플스토리〉를 통해 전하는 내마음! ♥

〈코믹 메이플스토리〉를 보면 마치 제가 게임을 하고 있는 것 같아요!! 전 아루루를 가장 좋아한답니다^^ (이우제 | 충남 아산시 탕정면)

27

라케니스, 잠깐만!

응?

너 혹시… 우리보다 먼저 하늘둥지에 다녀온 거 아니지?

무, 무슨 소리야?!

뭐, 아님 말고…. 혹시나 해서…!

얘가 정말 생사람 잡네! 나는 똥 누고 왔거든!

근데 어떻게 혼테일 님과 함께 돌아온 거지?

그, 그건…. 내가 똥 누다가 옆을 보니까 혼테일 님도 똥을 누길래 내가 휴지 없냐니까 그냥 가랑잎으로 닦으라고 해서….

그게 사실인가요?

너희 둘 문제는 너희끼리 해결해!

라케니스,
이것 한 가지는
명심해!

뭔가 의심은 가는데
증거가 없으니….

네 말이 거짓이라고
밝혀지는 순간
네 목숨도
끝이라는걸!

식사요~!!

<코믹 메이플스토리>를 통해 전하는 내 마음! ♥

〈코믹 메이플스토리〉를 너무 좋아해서 동생과 함께 용돈을 모아 구입하는데 참 재미있어요~!
〈코믹 메이플스토리〉 계속 파이팅!!! (이성민 | 경기도 고양시 일산구)

뚱스턴, 왜 그것밖에 안 먹어?

나 원래 먹는 것엔 관심 없잖아~.

쳇….

구미호 인간변신술 제1장 7항, 과식하면 마법이 풀려 본모습으로 돌아감.

80%

아직 여유가 있긴 한데….

응? 남겼네?

건더기는 다 먹었어. 난 국물은 별로 안 좋아하거든.

진짜? 국물이 진국인데… 버리긴 아깝다.

내가 마실까?

그럴래?

건더기 없는 것 맞지?

응….

츄 츄 츄

끌꺽

어? 뭐가 하나 넘어갔는데…?!

그래? 뭐가 남았었나?

아참, 먹기 싫어서 비곗덩어리 하나를 남겼지…!

꺽

〈코믹 메이플스토리〉를 통해 전하는 내 마음! ♥

우리 가족이 더 건강하고 행복해지면 좋겠어요! (이세진 | 경기도 성남시 야탑동)

비…, 비계?
그거 칼로리 높아?

그걸 말이라고 해?
살코기의 몇 배는 될걸?

칼로리 대박이라고
보면 되지.

나 참, 밥 잘 먹고 대체
왜 그러는 건데?

인간으로
겨우 변신했는데….
오냐, 어차피
이렇게 된 거!!

〈코믹 메이플스토리〉를 통해 전하는 내 마음! ♥

〈코믹 메이플스토리〉의 인기가 앞으로도 영원하면 좋겠습니다. 작가님들~ 감사합니다.
(강동훈 | 부산광역시 부산진구 당감4동)

여길 통과해야
〈생명의 동굴〉에
갈 수 있어.

으스스하네.
드래곤이 많겠지?

네, 사나운 와이번들이
*득시글거리는 곳이에요.

그럼 어쩌냐?

*득시글거리다 : 사람이나 동물 등이 떼로 모여 어수선하게 움직이다.

걱정 마세요!
우리는 날아서
건너면 되니까….

하지만
와이번들도
날아다닐 거 아냐….

그녀석들하고 우리 숙희는
레벨이 다르죠. 와이번이 기껏해야
10미터 높이로 비행한다면 〈오시리
안 허스키〉는 1천미터 고도까지
날아오를 수 있거든요.

삐질

삐질

수와~

〈코믹 메이플스토리〉를 통해 전하는 내마음! ♥

저는 〈코믹 메이플스토리〉가 정말 좋습니다. 그래서 매권 다음편을 기대하고, 언제나 〈코믹 메이플스토리〉
생각뿐이랍니다. 앞으로도 재미있게 부탁드려요!! (이초아 | 대전광역시 동구 남월동)

이게
어떻게 된 거야?

맙소사, 살이
너무 쪄서
못 나는구나!

아무래도 드래곤을
잘못 골랐나봐.

이게 모두 바우,
너 때문이야!

흥! 내 덕분에 밥
잘 먹고서 뭔 소리야?!

그만들 해.
그나저나 이곳을 어떻게
통과하지?

걱정 마세요.
비록 날지는 못해도
〈드래곤
파이어〉가
있으니까 와이번쯤은
문제 없을 거예요.

〈드래곤
파이어〉?

드래곤이
뿜어내는
불 말이야!

하지만 그건
와이번도 잘 할 텐데….

와이번하고
우리 숙희는 레벨이
다르죠.

〈코믹 메이플스토리〉를 통해 전하는 내 마음! ♥

〈코믹 메이플스토리〉는 나의 보배!! 〈코믹 메이플스토리〉를 살 땐 기분이 짱 좋아요~.
앞으로가 더 기대되는 〈코믹 메이플스토리〉 파이팅!!! (박유민 | 서울시 중랑구 면목4동)

와이번의
드래곤 파이어가
촛불이라면…,

오시리안 허스키는
*화염방사기니까요!

*화염방사기 : 불꽃을 뿜어 적의 병사, 시설 등을 태워 버리는 무기.

숙희야, 너의 진짜
실력을 보여드리자!

녀석~,
수줍어하긴…, 어서!

으으… 고약해…!! 웬만한 불길보다 세겠는걸?

아니, 이 정도로는 어림없어.

그래…, 바우의 트림 스킬보단 약해.

얘가 왜 이러지? 소화기관에 문제가 있나?

숙희가 피곤해서 그런가봐요. 좀 쉬었다가 다시….

저, 저기…!!

헉,
와이번이다!

모두 숙희를
중심으로 모여!!

숙희가 있는데
와이번쯤이야~!

자, 그럼
모두 공격한다—!!

〈코믹 메이플스토리〉를 통해 전하는 내 마음! ♥
〈코믹 메이플스토리〉를 통해 우정을 알고 〈코믹 메이플스토리〉를 통해 용기를 알았다.
〈코믹 메이플스토리〉는 나에게 선생님이다~!! (박효민 | 서울시 성북구 길음1동)

우와!
날아오른다!

내가 뭐랬어요?
우리 숙희 레벨이
다르다고 했죠?

응,
숙희 짱이야!

삐질
삐질

그런데…
이게 뭐지?

척 척

취미잉

스아아~

엄마야—!

취잉

맙소사,
체력이 완전히 바닥났구나.

숙희야,
왜 그래…?

숙희야, 그만둬.
그러다 쓰러지겠어.

숙희야!

어서 내 등에 타!

깜짝

숙희가 방금 말을 했어!

나도 들었어!

그건 말이 아니라 텔레파시예요.

와이번들이 몰려올 거야. 빨리 이곳을 탈출해야 해!

안 돼!! 숙희 넌 너무 지쳤어. 더 이상 에너지를 쓰면 위험해!

상관없어. 내겐 목숨보다 더 소중한 게 있으니까!

목숨보다 더 소중한 거?

숙희 땀 좀 봐…!

안 되겠어요. 이 상태로 더 이상 비행하는 건 무리예요.

휘이이잉

숙희야, 잘 자….

숙희야, 괜찮…

<코믹 메이플스토리>를 통해 전하는 내 마음! ♥
세상에 없으면 안 되는 만화!! 아주 재미있어서 볼수록 더 보고 싶다!!
(김우진 | 전북 전주시 덕진구)

이것 좀 봐요! 숙희가 알을 낳았어요!

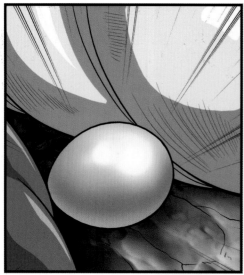

그래서 그동안 살도 찌고 쇠약했던 거구나. 난 그것도 모르고….

괴로워하지 마, 델리코.

미안해…. 난 드래곤 마스터가 될 자격이 없어!

아니야, 델리코. 난 널 믿어! 나는 이제 얼마 남지 않았어.

하지만 네가 내 아이의 마스터가 되어준다면 편히 눈을 감을 수 있을 것 같아.

그게 무슨 소리야?
숙희가… 죽는 거야?

얘들아….

한숨 자면 낫는다고
했잖아! 근데 왜
거짓말해!!

짧은 시간이었지만
함께해서 행복했어.

부디 내 아이를…,
부탁….

약속할게,
숙희야….

온 정성을 다해 키울게!
그리고 이 아이의 이름은
숙희라고 지어 널
영원히 기억할 거야…

델리코, 넌 분명 뛰어난
드래곤 마스터가 될 거야!
숙희가 그랬듯이 우리도
널 믿어!

숙희를 위해서라도
꼭 훌륭한 드래곤
마스터가 될게요!

근데 우린 이제
어디로 가지?

강이 흐르는 방향….

〈생명의 동굴〉은
그쪽이야!

쩐

음~

핀호브 영감이 꼬맹이들한테
팔았다던 그 드래곤 같습니다.

근데 왜 뼈만
남았을까?

싹 먹어
치운 거지, 뭐.
바우가 워낙
잘 먹거든.

그게 아니라,
드래곤은 죽으면
곧 유골로 변해.

새근

새근

얼씨구~
이 와중에
잘도 자네~!

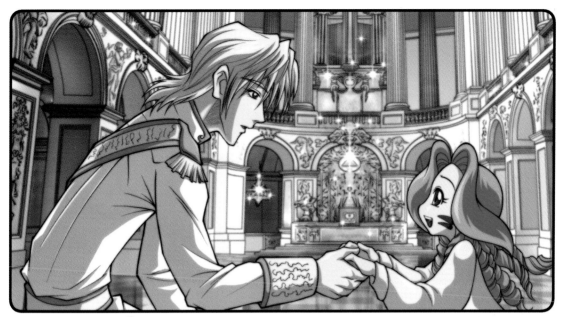

잠시
쉬었다 간다.

아주 쇼를
하는구나~!

《코믹 메이플스토리》를 통해 전하는 내 마음! ♥

저는 《코믹 메이플스토리》가 출간되면 항상 사서 봅니다. 중3인 누나도
《코믹 메이플스토리》 재미에 푹 빠졌답니다!! (오승환 | 경북 상주시 신봉동)

흐음…, 이 넓은 땅에 어쩜 이렇게 사람이 없을까?

많은 데는 많아. 하늘둥지 같은 곳엔 마법사들이 바글거리니까.

웃기시네~! 가봤더니 텅 비어있던데 뭘~!

그야… 혼테일 님이 무서워서 피한 거겠지.

아니거든! 나 혼자 갔을 때도 텅 비어…!

쿠쿵

너 혼자 하늘둥지에 갔었다고?

아주 딱 걸렸네!

아니… 그게 내 얘기는….

또… 똥이 안 나와서 운동 삼아 한 바퀴 날아다니던 중에 하늘둥지를 어…, 얼핏 봤다는 거야.

에이, 내가 듣기에도 너무 말이 안 된다.

시끄럿!

델리키 넌 내 말 믿지? 좀더 자세히 설명하자면….

그럴 필요 없어. 〈기억의 스캔〉으로 네 머릿속의 진실을 알아보면 되니까!

누구 맘대로?!

내 맘대로!

과직

확

〈코믹 메이플스토리〉를 통해 전하는 내 마음! ♥

〈코믹 메이플스토리〉를 읽고 나면 내용과 이미지가 계속 머리에 떠올라요. 정말 재미있습니다!! 많이 만들어 주세요~! (김서영 | 대구광역시 달서구 이곡동)

손 치워!!

건드리기만 해봐!

기억소멸마법으로
머릿속을 텅
비워버릴 테니까!

〈마법의 뇌〉를
찾고 싶으면
까불지 말고
얌전히 굴어!

〈마법의 뇌〉? 그게 뭔데
델리키가 라케니스한테
꼼짝도 못 하는 거지?

출발한다.

그나저나 도대체 그 꿈은 뭘까?

라케니스, 너 대단하다~! 하지만 안심해선 안 돼.

델리키가 느닷없이 널 공격해서 기절시킨 다음, 〈기억의 스캔〉을 쓸 수도 있잖아.

그래서 지금 하고 싶은 말이 뭐야?

그러니까 내 말은~ 널 지켜줄 믿음직한 친구가 필요하다는 얘기지!

〈코믹 메이플스토리〉를 통해 전하는 내마음! ♥

실감나는 그림과 대사가 넘 좋아요!! 서정은쌤~ 송도수쌤~ 그리고 모두 파이팅!!
(설진주 | 울산광역시 남구 무거동)

고기다, 고기! 우리 밥 먹고 가자!

펄쩍

펄쩍

난 매운탕!

난 생선구이!

난 다 좋아!

익혀 먹으려면 나무가 필요한데…

나무는 내가 구해올게.

저도 같이 가요!

무거울 텐데 드래곤 알은 놓고 오지 그랬어.

안 돼요!

드래곤은 태어나
맨 처음 본 사람을 진정한
마스터로 인정한단 말이에요.
이 순간을 위해 10년을
공부하며 기다렸는데,
내가 없는 사이에 알을
깨고 나오면 어떡해요.

야, 네가 몇 살인데
10년을 공부해?

걸음마 떼자마자 공부를 시작했어요.
드래곤은 영리하기 때문에
잘 다루려면 모든 분야에
*능통해야 하거든요.

우와~, 그럼 너도
엄청 유식하겠다!

아뇨,
저는 아직
멀었어요.

*능통하다 : 어떤 일에 훤해서 막힘이 없이 잘하다.

그래서 가능한 많은 걸
배워두려고 해요. 그러니까
아루루 형도 많이
가르쳐 주세요.

녀석, 볼수록
마음에 드는걸.

그럼 내가 신기한 것
하나 가르쳐 줄까?

네!
뭔데요?

너 혹시
금강산호라고 알아?

〈코믹 메이플스토리〉를 통해 전하는 내 마음! ♥

〈코믹 메이플스토리〉를 정말 재미있게 보고 있습니다. 앞으로도 쭉~ 재미있고 스릴 넘치는
이야기들 많이 만들어 주세요~. 〈코믹 메이플스토리〉 사랑해요!!♥ (윤경 | 경남 거제시 고현동)

금강산호요?

모르지?

왜 몰라요? 깊은 바다에 살면서 주변 생물의 생명력을 남김없이 빨아먹는 흡혈귀 같은 괴물이잖아요.

와~, 너 진짜 유식하구나.

근데 형은 금강산호를 어떻게 아세요? 아는 사람이 별로 없을 텐데…

그러는 넌 어떻게 알아?

책에서 금강산호 유생에 감염된 사람 이야기를 읽었어요. 어휴, 소름 끼쳐!

소름 끼쳐?

네, 그걸 읽고 한동안 악몽에 시달렸다니까요!

자, 자세히 좀 말해봐.

와아~, 물고기 많이 잡았다!

나무는 아직 안 왔어?

듣고 나니 형도 소름이 쫙 끼치죠?

지금 한 얘기… 진짜야?

네, 괴물로 변한 마지막 모습도 책에 나왔는데… 정말 끔찍했어요.

치… 치료 방법은?

없대요. 오죽하면 죽음과 같은 고통이라고 써 있겠어요?

형, 근데 얼굴이
왜 그래요?

아니, 갑자기
머리가 좀 아파서….

애들아, 우리 그냥
생선회로 먹을까?

그나저나 나무 구하러
간 애들은 왜 이렇게
안 오는 거야?

싫어! 난 생선구이
먹을 거야!

어, 저기 온다!
근데 델리코 혼자네?

아루루 형은 아직 안
왔어요? 머리 아프다고
먼저 갔는데….

혹시 길을
잃었나…?

아님 똥 누나?

우리 빼놓고
혼자 맛있는 것
먹는 거 아냐?

당장
찾으러 가자!!

잠깐만!
아루루는
내가 찾아올게.

으아아아아ー

아아아아악!

꼭 한 가지… 너를 살릴 방법이 있긴 하다만 차마 권하질 못하겠구나….

이제 알겠어. 아대 영감님이 왜 그렇게 망설이셨는지…. 목숨을 구하는 대신, 괴물이 되는 거였어! 괴물이…!!

떠나자! 친구들한테
괴물이 된 모습을
보여줄 순 없어!

어떻게…
알았어?

카이린… 너,
알고 있었던 거야?

응, 핀호브
영감님한테 들었어.

근데 왜 나한테
말 안 했어?

〈코믹 메이플스토리〉를 통해 전하는 내 마음! ♥

나에겐 남자친구 같은 책!! 쓸쓸하고 외로울 땐 마음을 달래주고 언제나 감동과 행복,
웃음을 주기 때문!! 〈코믹 메이플스토리〉 대~박!! (권은빈 | 서울시 노원구 상계10동)

쳇, 알고 있다니 차라리 잘됐네. 그럼 네가 애들한테 적당히 잘 얘기해줘. 급한 일이 생겨서 갑자기 떠났다고….

이렇게 도망치는 건 너답지 않다고 생각해!

네 생각 물어본 적 없어.

아니, 말해야겠어!

듣기 싫어! 네가 무슨 상관이야?!

네가 왜 금강산호에 감염됐는지 잊었어?

그건….

지옥의 냉기로부터 목숨을 건지기 위해서였어. 그 지옥의 냉기를 네게 불어넣은 자가 누구였지?

그걸 몰라서 물어? 데비존이었잖아!

그래, 바로 우리… 아빠야.

카이린…, 네 잘못이 아니야.

부탁할게, 아루루….

제발 포기하지 마. 그리고 내게 기회를 줘. 아빠의 잘못을 갚을 기회를…!

〈코믹 메이플스토리〉를 통해 전하는 내 마음! ♥
스토리가 정말 흥미진진해요!! 〈코믹 메이플스토리〉는 항상 나의 마음을 기대감으로 가득 채워줍니다. (강설빈 | 경남 김해시 외동)

도망치지 않을게.
금강산호와 끝까지
싸울 거야.

카이린, 너도
도와줄 거지?

아루루…!

너희들 왜 이렇게 늦었어?
빨랑 와서 먹어!

그래,
내가 있을 곳은
친구들 곁이야!

자, 배불리
먹었으니
모두 출발~!

아얏, 이놈의 모기가!
또 물렸네!

강 근처라
모기가 많나봐…

아루루,
너도 물렸어?

아니….

근데 아까부터
계속 가렵네?

혹시….

걱정 마.
별일 아닐 거야.

아루루, 이제 그만 애들한테 얘기하는 게 어때? 다 같이 고민하면 좋은 방법이 나올 수도 있잖아.

아니, 조금만 더 있다가….

친구들이 슬퍼하는 모습… 보고 싶지 않아.

에휴~, 모기를 이길 상대가 있을까? 사자도 모기한텐 못 이길걸?

세상에 천하무적이 어딨냐? 모든 생명체에는 다 *천적이 있다고.

맞아, 모기엔 모기약이 있잖아!

*천적 : 잡아먹는 동물을 잡아먹히는 동물에 상대하여 이르는 말. (쥐에 대한 뱀, 진딧물에 대한 무당벌레 등.)

모기약?!

카이린….

응?

금강산호의
천적은 뭘까?

!

쏴아아아

비 온다!

근데 비에서
짠맛이 나네?

이건 바닷물이
폭풍에 하늘로 올라갔다
떨어지는 거예요.
이 지역에서만 *특수하게
내리는 비죠.

*특수하다 : 특별히 다르다.

금강산호의
천적….

쓱

꾸벅
꾸벅

반짝
반짝
반짝
반짝

최아아~~

어서 오너라,
나의 노예여!

크으으….

노예들이여
나를 맞이하라—!!

이게
무슨 소리야?

맙소사…!
금강산호가
깨어났나봐!

뭐?

그, 금강산호요?

〈코믹 메이플스토리〉를 통해 전하는 내 마음! ♥
이번에도 어김없이 〈코믹 메이플스토리〉를 사러 서점으로 갔습니다!! 아주머니가 이제 한 권 남았다며
건네주실 때 너무 기뻤습니다. 〈코믹 메이플스토리〉의 인기는 끝이 없을 것 같아요~.♥
(조사랑 | 전남 영광군 군서면)

아주주의 왼손

으으… 자꾸 나를
화나게 하면…

아루루, 너
정말 왜 이래!!

다쳐—!!

아루루,
이게 무슨…!!

이제 상황 파악이 됐느냐? 너희들은 곧 나의 노예가 될 몸이라 살살 다뤘다만…,

계속 반항한다면!!

얌전히 기다려라. 너희들도 나처럼 멋진 모습으로 변할 테니…. 크하하하~!

〈코믹 메이플스토리〉를 통해 전하는 내 마음! ♥

마음속에서 우러나오는 우정!! 그것이야말로 진실된 우정이자 〈코믹 메이플스토리〉가 아닐까요? 있는 모습 그대로를 사랑하는 우정 말이에요. (강승미 | 제주도 제주시 상도1동)

아루루는 지금 금강산호에게 *점령당했어. 금강산호를 아루루의 몸에서 없애야 해!

*점령 : 어떤 장소를 차지하여 자리를 잡음.

하지만…, 아루루 형의 목숨과 바꾸지 않는 한, 금강산호를 쫓아낼 방법은 없어요.

아니야, 방법이 있을 거야. 천적을 찾아내야 해! 금강산호의 천적을…!

저렇게 강한데…, 천적이 없으면 어떡하지?

맞아요, 호랑이처럼 먹이피라미드 꼭대기에 있는 놈한텐 천적이 없잖아요.

아니야, 호랑이한테도 천적 있어.

뭔데?

더 센 호랑이!

금강산호의
천적을 알았어!

그게 뭔데?

더 센 산호!

카이린 너까지
왜 그래?!

천년산호!
그거면 가능해!

천·년·산·호?

그래, 아루루의
아대를 만든
바로 그것!!

〈코믹 메이플스토리〉를 통해 전하는 내 마음! ♥

〈코믹 메이플스토리〉를 통해 재미와 감동을 얻을 수 있어서 정말 좋고 고맙습니다!!
쭉쭉 뻗어나가라~ 〈코믹 메이플스토리〉!! (신민준 | 서울시 강동구 고덕1동)

*91

하지만 아대 영감님은 긴 잠에 빠졌잖아.

그래서 금강산호가 이렇게 날뛰는데도 어쩌지 못하고….

그건 아대가 손목에 있기 때문이야. 금강산호는 아루루의 왼손을 제외한 팔에 자리잡은 후, 어깨를 거쳐 온몸으로 가지를 뻗고 있어.

따라서 공격은 오른손으로만 하고 있지. 아루루의 왼손을 잘 봐. 팔까지는 움직여도 왼손은 못 움직이고 있어.

그럼 천년산호인 아대 영감님 때문에 왼손을 못 쓴다는 거야? 그렇다 해도 지쳐서 긴 잠에 빠진 아대 영감님을 어떻게 깨우지?

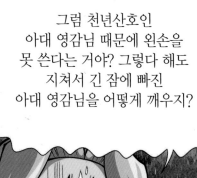

하늘에 맡기는 수밖에….

하늘에…?!

카이린!!

쟤가
뭘 어쩌려고….

뭐야, 얌전히
있으라고 했지?

저를 금강산호 님의 노예로 삼아 주십시오!

카이린…!!

기다려라, 이 녀석부터 완전히 변신시킨 뒤에…

아니오! 저는 금강산호 님의 첫 번째 노예가 되고 싶습니다!!

부디 허락해 주십시오!

좋아, 네 뜻대로 해주지. 난 욕심 많은 노예가 좋거든….

이걸 먹거라!

그건…!

나에겐 자식과 같은 유생이니라. 먹는 순간 입천장을 뚫고 직접 뇌로 들어갈 테니, 효과가 빠를 것이다.

어딜!!

이얍—!!

크으으….

그깟 잔머리에
내가 속을 줄 알고?!

흐응~, 오랜만에
바닷물을 맛보니
힘이 펄펄
나는걸~!!

뭐야,
왜 아대가
여기에…!!

훗, 성공이다!
아대 영감님,
부탁해요~!!

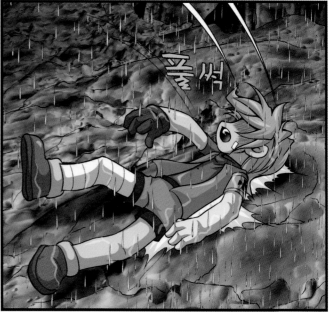

아루루!

애들아….

무슨 일 있었어?

쏴

쏴

아루루가 돌아왔다!!

쏴

아대 영감님…, 고맙습니다!

그런데 아대가 왜 여기에 있지…?

쏵

안 돼!!

척

?

〈코믹 메이플스토리〉를 통해 전하는 내 마음! ♥
심심할 때, 우울할 때도 웃음이 나오는 책!! 〈코믹 메이플스토리〉를 만드시는
모든 분들 앞으로도 많이 만들어 주세요~!!! (김지환 | 광주광역시 광산구 월계동)

 *99

왜 그래?

아기하자면 길어.
아무튼 아대 내리면
안 돼, 알겠지?

카이린,
정말 대단했어!!

맞아, 카이린 덕분에
아루루가 살았어!

카이린, 고마워….

네가
무사해서 정말
다행이야.

이거 놔!
이거 못 놔?

에이, 설치지 말고
할애비랑 코오~
자자니까?

델리키, 나랑
잎사귀 바꾸자.

네 인간성이나
바꾸시지~!

어젯밤에도
이상한 꿈을
꾸었어.

〈코믹 메이플스토리〉를 통해 전하는 내 마음! ♥

〈코믹 메이플스토리〉는 저의 반쪽이나 마찬가지입니다. 그래서 새 책이 나오면 바로
구입하고 싶어요!! (김형준 | 서울시 은평구 응암동)

*101

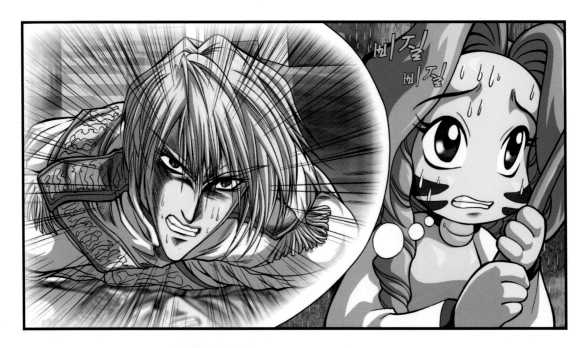

혼테일 님, 비가 그칠 때까지 기다렸다 가면 안 될까요?

안 돼.

그러지 말고 쉬었다 가요. 몸이 *오슬오슬 춥단 말이에요.

추워?

*오슬오슬 : 몹시 무섭거나 추워서 자꾸 몸이 움츠려들거나 소름이 끼치는 모양. [비슷한말 | 오삭오삭]

쉬었다 간다.

사람 차별하는 거야, 뭐야?!

쏴아아ー

저 바위 좀 봐. 마치 사람이 울고 있는 것 같아!

<코믹 메이플스토리>를 통해 전하는 내마음! ♥

다음 권도 이렇게 재미있는 만화를 만들어 주세요~. 기대할게요!!!^^
(최영준 | 경기도 용인시 수지구)

정말~!
신기하다….

저걸 보니까
하늘둥지에서 본 게
생각나….

이 돌사람 좀 봐.
눈물을 흘려.

헛소리 말고
빨리 나와!

확

삐질
삐질

뭔가 또
숨기고 있는 게
확실해.

라케니스, 넌 참 이상한
아이야. 다른 마법은
그렇게 못하면서
석화마법은 어떻게
잘 하는 거지?

글쎄요,
저도 그게
신기해요!

머리가 돌이라
그렇지 뭐.

게다가 대상을 완전히 돌로 변하게 하는 보통의 석화마법과는 달리, 라케니스의 마법은 영혼은 남겨두고 육체만 돌로 만들기 때문에 훨씬 고통스럽지. 정신이 멀쩡히 살아 있는 돌이 되니 *피눈물을 흘릴 수밖에….

*피눈물 : 몹시 슬프고 분하여 나는 눈물.

또 슬슬 배가 아프네. 난 똥 누러 가야겠….

슬쩍

멈춰!

응, 왜…? 같이 가주려고?

야! 너 똥 싸는데 우리 오빠가 왜 따라가?

방금 주카가 한 얘기에 대해 물어 볼 게 있어.

뻘쩍

주카가 뭔 소릴 했는데? 난 못 들었거든….

아무튼 똥 누고 와서 애기하자.

당장 사실대로 말해!

대체 뭘 말하라는 거야?!

더 이상 네게 끌려다니지 않겠어!

너, 기… 기억 찾기 싫…어?

너같이 사악한 인간은…

세상에서 사라져야 해!

콰지직!

울 오빠, 정말 화났나봐!

잘 가라!

그래, 내가 하늘둥지의
영감한테 석화마법을 썼다!!

왜냐고?
그 영감이 바로
네 아빠였으니까!

널 만나면 금방
알아볼 것 같더라구.
그럼 내가 너를 마음대로
부릴 수가 없잖아?

세상에! 어떻게
저럴 수가…!

완전 사악해!!

나도 쟤 수준은
못 따라가겠다.

내가 석화마법을
풀어줄까?

석화마법은 처음 건 사람만 풀 수 있다는 거, 너도 잘 알지?

아빠를 보고 싶지 않아?

델리키가 불쌍해….

정말 못됐다.

반성, 또 반성해야 해, 나는 왜 쟤만큼 사악하지 못할까?

아빠 보고 싶으면 얌전히 굴어! 알겠어?

비가 그쳤으니
출발한다.

위기 때마다
멋지게
빠져나가다니…
대단해~!

하지만 끝까지
델리키의 *보복을
피할 수 있을까?

그래서, 지금
무슨 말을 하고
싶은 건데?!

진정해!
난 그저 널
돕고 싶어서…,

*보복 : 남이 자신에게 피해를 준 그대로 나쁘게 갚는 것.

근데?

너도 알다시피 나는 막강한 흑마법력을 지닌 악의 정령이야. 그런데 몸이 없다보니 현실계에선 제대로 힘을 쓸 수가 없어.

시무룩

그러니까 내가 네 몸에 들어갈 수 있도록 허락만 해준다면 넌 흑마법을 맘대로 쓸 수 있고 나도….

됐거든!!

누굴 바보로 알아? 결국 내 몸을 빼앗아 주인 노릇을 하겠다는 *속셈이잖아!

그, 그건 오해야!

*속셈 : 마음속으로 하는 생각이나 계획.

오해~ 좋아하시네! 당장 꺼져!

뭉짜 살려~~!

쟤들 왜 싸워?

글쎄 말이야, 악으로 똘똘 뭉친 분들끼리 웬일일까?

〈코믹 메이플스토리〉를 통해 전하는 내 마음! ♥
재미있는 〈코믹 메이플스토리〉 친구들이랑 만나고 싶다!! 다음 권도 시험을 잘 봐서 꼭 구입해야지~!! 작가님들~ 〈코믹 메이플스토리〉가 영원하게 해주세요!!
(정지훈 | 경기도 동두천시 연천군)

그럼 아대만 내리면 곧바로…!!

아루루, 절대 아대를 내려선 안 돼!

이 아대~, 어깨에 차니까 은근히 폼난다. 나도 잠깐 해보면 안 될까…?

바우야!!

왜 그래?

외… 왼팔이 끊어질 것 같아!

금강산호 녀석이 심술을 부리나봐. 아루루, 많이 아파?

저기 있잖아….

아대는 안 돼!

누가 아대 달래?! 내가 무슨 말만 하면 구박이야.

바우야…, 화났어?

화도 날 만하지 뭐~.

바우야, 무슨 얘기 하려고 했어? 어서 말해봐!

흠흠, 그러니까… 이렇게 더운 날엔 수영이 딱이라고!

넌 지금 이 상황에 그런 소리가 나오냐?!

몬스터가 우글거리는 미나르숲 한복판에서…!

게다가 친구는 아파 쓰러져 있는데…!!

싫으면 관둬!! 난 할 거니까!!

순예~!! ♬

아~ 시원해!

오랜만에 물방귀나 뀌어볼까?

이히히~ 되게 재밌다!

음… 내 방귀가 세긴 세나 보네.

〈코믹 메이플스토리〉를 통해 전하는 내 마음! ♥
흥미진진한 이야기에 심장이 두근거리고 너무 재미있어서 나도 모르게 웃음이 나올 때가
많은 책! 계속 읽고 싶은 〈코믹 메이플스토리〉여~ 영원하라!!! (양정규 | 전북 전주시 덕진구)

저… 저기…!

레비아탄이에요!

미나르숲
최강의 드래곤!
바우 누나가
위험해요!

당장
구하러 가자!

잠깐만요!!

웃네…?

〈코믹 메이플스토리〉를 통해 전하는 내 마음! ♥

〈코믹 메이플스토리〉는 정말 재미있어요!! 앞으로도 멋지고 재미있는 〈코믹 메이플스토리〉를
만들어 주세요!! (김재윤 | 제주도 제주시 화북1동)

저건 대체 무슨 상황인지…?

드래곤마스터, 설명 좀 해봐.

어… 이건, 워낙 듣도 보도 못한 일이라….

아하하~, 얘도 내 미모에 반했나봐~.

그럼 그냥 놔둬도 되나…?

이상하다…? 워낙 생각이 없는 녀석이라 먹이 외엔 관심이 없을 텐데….

레비아탄이 좋아하는 먹이가 뭔데?

뭐 이것저것 닥치는 대로 다 먹지만, 가장 좋아한다고 알려진 건…

엘프죠.

그게 정말이야?

네! 레비아탄에게 엘프는 일생에 한번 맛볼까 말까 한 귀한 먹이거든요. 그러니까 만나면 정신 못 차리고 좋아할걸요?

바우 이제 어떡해…!!

왜요?

바우 외가 쪽이 엘프야! 바우 몸 속엔 엘프의 피가 흐른다고!

헉, 어쩐지 눈부시게 예쁘더라니….

이건 또 뭔 소리…?

〈코믹 메이플스토리〉를 통해 전하는 내마음! ♥

동생과 함께 아주 재미있게 보고 있습니다. 앞으로도 재미있는 〈코믹 메이플스토리〉를 부탁해요!! 파이팅!!! (조선웅 | 경기도 과천시 부림동)

바우를
구해야 해!

전투 준비!

서두르지 마세요!

워낙 귀한
먹이라 성급하게
바로 먹어버리진
않을 거예요. 작전을
치밀하게 세워서
레비아탄이 뜸을
들이는 사이에
바우 누나를
구해야 해요.

우선 비행을 막아야 해요.
바우 누나를 물고 날아가
버리면 끝장이니까요.

그럼 날개를
공격할까?

아뇨, 그것보다 날개 밑에 있는
근육을 공격하는 게
효과적이에요.

좋아, 그건 내가 맡을게!

두 번째로, 레비아탄의 드래곤 파이어 위력은 어마어마해요. 그걸 막으려면…

녀석의 목구멍을 *냉각시켜야 해요.

그건 바우가 얼음속성 화살을 쏘면 돼!

근데… 우리가 공격할 때 레비아탄이 가만히 있을까?

가웃

*냉각 : 차게 식는 것. 또는 차게 식히는 것.

좋은 질문이에요! 방금 말한 두 가지 공격을 성공시키려면…

녀석의 약점을 공격해서 방어할 틈을 주지 말아야 해요!

레비아탄의 약점이 뭔데?

〈코믹 메이플스토리〉를 통해 전하는 내 마음! ♥

저는 〈코믹 메이플스토리〉가 나오기를 매일 기다립니다. 용돈으로 산 〈코믹 메이플스토리〉를 재미있게 보고 있어요!! (성시원 | 서울시 구로구 신도림동)

똥꼬요!

애들아,
나 좀 봐~!!

돕지 못해서
미안해….

걱정 말고
넌 구경이나 해.

바우한테
소리쳐서
알리는 건
내가 할게!

그럼 드래곤
몸 구조는 제가 잘 아니까,
카이린 누나를 녀석의 똥꼬
있는 데로 안내할게요.

다들
준비됐지?

레비아탄은
하루에 약 3톤의
먹이를 먹는
대식가예요.

그럼 바우를
먹어봤자 배도
안 부를 텐데…

누나는 초콜릿을
배부르라고
먹어요?

하긴…
맛으로 먹지.

이 녀석은
엄청 먹은 다음에
꼼짝 않고 빈둥대다가
또 그만큼 싸요.
그러니 도저히 똥꼬가
견뎌낼 수 없죠.

더 말 안 해도
알겠다.

〈코믹 메이플스토리〉를 통해 전하는 내 마음! ♥
앞으로도 계속 보고 싶고, 몇 권까지 나올지 기대됩니다!! 한 번 보기 시작하면
〈코믹 메이플스토리〉만의 재미에 폭~ 빠집니다!! (이종문 | 경기도 의정부시 호원동)

깜깜해서 안은
잘 안 보이네?

아하하~, 혓바닥이
*매끌매끌해!

*매끌매끌 : 몹시 매끄러운 모양.

아흐~ 혓바닥에
느껴지는 엘프의
이 달콤한 감촉…!

더 이상은
못 참아!

엇, 뭐야, 이거!

야—! 입 열어!

어? 뭐가 이렇게 끈적거리지?

끈적

끈적

서, 설마…!!

쭐쭐

쭐

꿀꺽

빠수

살격~

대롱

대롱

〈코믹 메이플스토리〉를 통해 전하는 내 마음! ♥

〈코믹 메이플스토리〉 덕분에 제 인기는 UP 되었어요!! 〈코믹 메이플스토리〉 최고!!
(정경순 | 서울시 영동포구 신길6동)

 *129

지금이다!

바우야—,
얼음속성 화살을 쏴!

〈코믹 메이플스토리〉를 통해 전하는 내 마음! 🖤

혼자 있을 때도 〈코믹 메이플스토리〉를 보면 〈코믹 메이플스토리〉 친구들이 곁에 있는 것처럼
안심이 되고 든든합니다!! (고명준 | 경남 밀양시 용평1동)

때로는 사랑도
무서운 거구나….

얘들아,
빨리 나와!

그건 또
무슨 소리야?

레비아탄 말이야.
나를 얼마나 사랑했으면
삼켜서라도 영원히 함께
하려고 했겠니?

나도 널 잊지 않을게—!
레비아탄.탄.탄.탄.탄~!!

쩌렁

쩌렁

세상에…, 저런 걸 보고
'꿈보다 *해몽이 좋다'고
하는 거구나~.

레비아탄—!!

*해몽 : 꿈에 나타난 일을 풀어서 좋고 나쁨을 판단함.

우쒸―, 레비아탄은
왜 불러가지고…!!

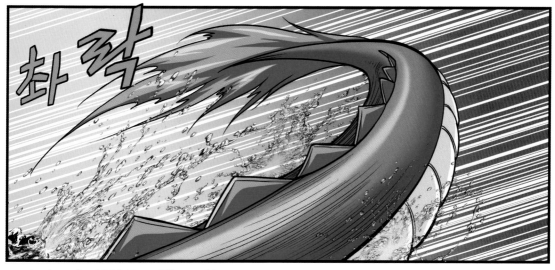

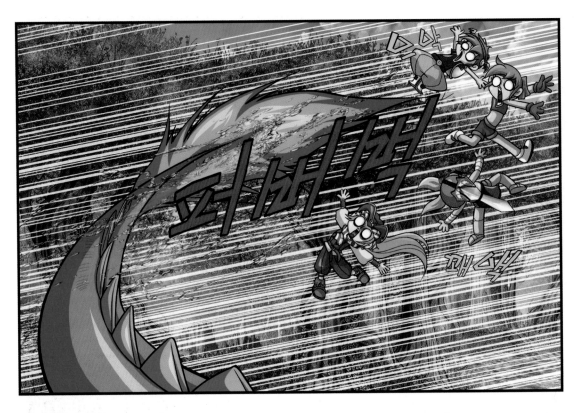

레비아탄,
내가 상대해주마!

크 롸 앙~

죽기 아니면 살기다!

뽁

아루루!! 아대를 빼버리면 금강산호한테….

크흐흐~ 나는 자유다!!

이잇! 그런데 왜 노예의 몸이 뜻대로 안 움직이지?

…

아대가 있으니 내 머릿속까진 어쩌지 못할걸!

지지직

지지직

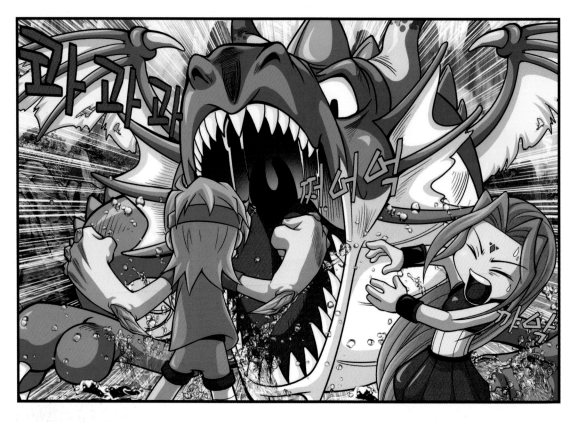

간다아—!

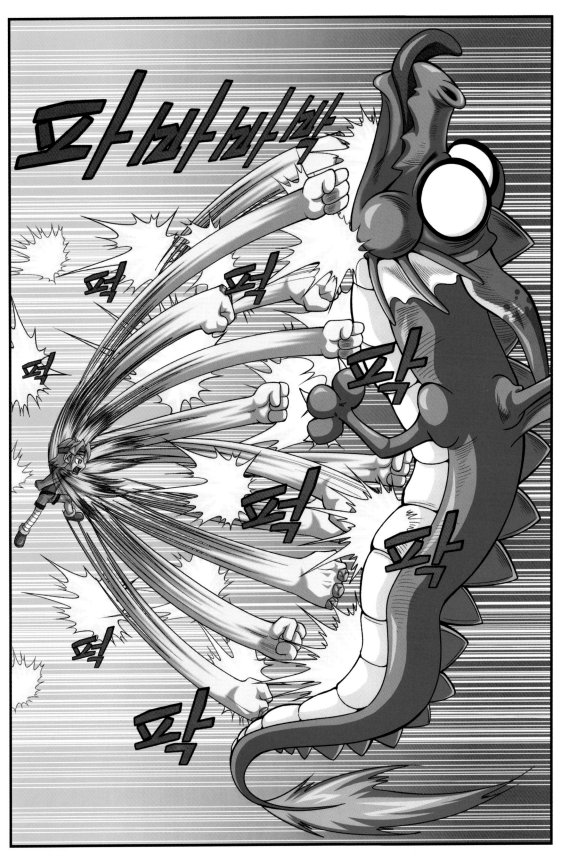

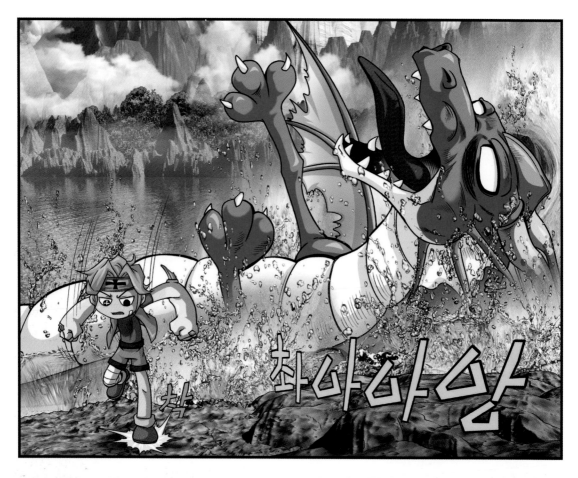

〈코믹 메이플스토리〉를 통해 전하는 내 마음! ♥

친구들과의 우정이 정말 멋있어요!! 몬스터와도 하나가 되는 따뜻한 마음!! 저도 언제나 따뜻한
마음으로 살아야겠어요~. 다음 권을 계속 기대할게요!! 파이팅!! (허도영 | 전북 전주시 완산구)

아루루, 너 힘
진짜 세더라~!!

잠시 금강산호를 불러내
이용한 거야. 지금은
다시 가둬버렸지.

오호, 그거
괜찮은 방법인데?

하지만 다시는
불러내고
싶지 않아….

어, 작은새야!

파닥 파닥

그게 정말이야?

왜, 뭔데?

〈생명의 동굴〉이
근처에 있대!

레비아탄이군.

미나르숲 최강의
드래곤이 이렇게
되다니…!

누가 그랬을까? 설마
꼬맹이들이…?

에이,
말도 안 돼…,

그건 나도 아니라고
봐. 뜯어 먹은 흔적이
없다는 게 증거지.
바우가 있었다면
그냥 갈 리
없거든.

그 녀석들이
레비아탄을…?!

이 근처에 〈생명의
동굴〉이 있는 게
틀림없어요.

어째서지?

전설에
나오거든요.
〈생명의 동굴〉로
가는 길목을
레비아탄이
지키고 있다고….

살펴보고 오겠다.
모두 여기서
기다리고 있어.

〈코믹 메이플스토리〉를 통해 전하는 내 마음! ♥
우연히 보게 되었는데 정말 재미있어요. 기분이 안 좋을 때는 위로해주고, 좋을 때는 더
즐겁게 해주는 〈코믹 메이플스토리〉!! 앞으로도 재미있는 책 많이 부탁드려요~!!
(이성경 | 전북 전주시 덕진구)

 *147

델리키,
어디 갔다 와?

너! 누가 말도 없이
사라지래?

오빠,
그 나뭇가지는
뭐야?

대체
무슨 *수작이지?

델리키,
쓸데없는 생각은
안 하는 게
좋을 거야.

*수작 : 남의 말이나 행동, 계획을 낮잡아 이르는 말.

아무래도 지금이 마지막 기회일 것 같다.

비행마법을 충전해 놓았으니 5분 정도는 날 수 있을 거야.

운이 좋으면 네 친구들을 만날 수 있겠지. 어쨌든 내가 해줄 수 있는 건 이게 다야.

델리키….

너 미쳤니?

쟤가 왜 저래?

주카가 도망가면 혼테일이 울 오빠를 가만 안 둘 텐데….

서둘러! 혼테일이 돌아오기 전에 떠나야 해!

고마워, 델리키…!

어딜 가려고?

대답해!

이제 그만 놓아주시죠.
여자를 인질로 잡다니
부끄럽지도
않으세요?

죽고 싶지 않으면
비켜!

주카, 어서 도망쳐!

델리키….

짜—식!

델리키가
위험해…!!

152

델리키, 오른쪽
옆구리를 공격해!

혼테일 님, 주카가
도망쳐요—!!

주카는 제가 잡아
올 테니까, 델리키를
용서해 주시면
안 될까요? 제겐 꼭
필요한 애거든요.

그럴 필요 없어.

죽여….

Quest
189
생명의 동굴

어쭈~,
제법 타는데?

그래 봤자
5분이 지나면…
아니지, 이제 3분쯤
남았겠네!

석화마법으로—

끝내주겠어!!

까아악—!!

여기 어딘가에
〈생명의 동굴〉이
있다고?

왜, 동굴 찾았대?

그게 아니라…
하늘을 보라는데?

스윽

스윽

저게 뭐지?

주카다!

까아악!!

〈코믹 메이플스토리〉를 통해전하는 내마음! ♥

저희 오빠는 책을 잘 읽지 않는데 〈코믹 메이플스토리〉는 잘 봐요~!! 우리 오빠도
책을 읽게 만드는 〈코믹 메이플스토리〉!!! (최예은 | 서울시 구로구 오류동)

라케니스, 정신 차려!

괜찮니?

으응…

근데 너 얼굴이 왜 그래?

이거? 별거 아냐.

그나저나 네가 안 다쳐서 정말 다행이야.

몽짜야…, 네가 날 구한 거야? 고마워!

그런 소리 마, 우린 친구잖아~.

끼리끼리 논다더니….

혼테일 님,
죄, 죄송합니다.
주카를 놓쳤어요.

넘죽

휙!

몽짜야, 왠지 너랑 나랑은
마음이 통하는 것 같아.

나도! 널
처음 봤을 때부터
좋았던 거 있지~.

엉~
엉~엉~

너보~

나빠~

엉~

엉~

아니, 저건!!

엄마, 왜요…?

네 아빠의 원수가 저기 있어!!

이건 하늘이 주신 기회야! 가서 원수를 갚자!

빠직

끼끼 끼잉

흔들

쩌직

휘이잉

〈코믹 메이플스토리〉를 통해 전하는 내 마음! ♥

언제나 나의 마음을 기쁘게 해줘서 기다릴 수밖에 없는 책!! 용돈을 탈탈 털어 구입해도 기쁘답니다!! ^^ (신소영 | 경기도 양주시 삼숭동)

왜… 저를 구해준 거죠?

왜 주카를 탈출시켰지?

그게 옳으니까요.

자신과 상관없는 일에 목숨을 거는 멍청이다운 대답이군. 하긴, 그러니까 라케니스 따위에게 끌려다니는 거겠지.

그건… 사라진 과거의 기억을 되찾기 위해서일 뿐이에요.

부럽군.

사라진 과거라… 내게도 그런 행운이 오면 좋으련만….

예전에 스승님도
그런 말씀을 하셨어.

네가 부럽구나.
내게도 과거가 없다면…,
아무 생각도 나지 않는다면
좋으련만….

혼테일에겐 어떤
과거가 있는 걸까?

찬~

걸쩡

삐질

이상하네…?
아만타디움으로도
안 끊어지다니….

도대체 이 사슬은 뭐지?

보기엔 그냥 금속 같은데….

네가 한번 살펴볼래?

예.

이건….

메이플 세계에 없는 금속 같은데요?

뭐? 그럼 외계에서 온 금속이라는 거야?

설마….

난 왠지 델리코의 말이 믿어져.

바… 방금 뭐라고 했어?

응? 뭐?

애 이름이 뭐라고…?

아, 인사가 늦었네요. 전 델리코라고 해요.

저기 흑태자 말이야….

흑태자 보고 싶다~.

흑태자가 주카를 도와줄 줄이야….

기특한 녀석….

원래 마음씨는 착해. 나쁜 스승을 만나서 그렇지.

흑태자의 이름이 밝혀졌어. 자기 스승이 가르쳐줬대.

이름이 뭔데?

델리키!!

저, 정말이야?

그럼 〈델〉 가문의 잃어버린 큰아들이….

바우야, 어디 가?

흑태자, 아니, 델리키 만나러….

바우야, 진정해! 아직 확실한 것도 아니잖아?

이거 놔! 걘 잃어버린 내 친구가 틀림없다고!

델리코, 괜찮아? 많이 놀랐지?

만약 우리 형이 맞다면… 정말 형이라면… 아버지가 얼마나 기뻐하실까요?

아, 주카는 모르지?
델리코의 아빠는 〈하늘둥지〉의
대마법사님이셔.

깜짝

왜 그래?

아…
아무것도
아니야.

아빠가 석화마법에
희생된 걸 알면 저
아이가 얼마나
슬퍼할까….
어떡하지…?

슈미야, 뭐 해?

저게…

〈생명의 동굴〉이야!

드디어….

우선 암리타부터
찾아오자! 모든 것은
그 다음이야.

잠깐!

혼테일은 슈미가
암리타를 찾는 순간을
노린다고 했어. 그러니까
지금부턴 더더욱
조심해야 해!

〈메이플 3권〉에서 가장 재미있었던 내용은 무엇이었나요? 애독자가 뽑은 재미 베스트 3!!

1위 엘프족의 문자라며 바우가 자신있게 안내문을 해석했지만,
     엉터리라는 것이 들통나 친구들에게 몰매 맞은 것.

됐어, 〈생명의 동굴〉 입구야!

가만…, 이건 고대 엘프족의 문자?

왜 저래…?

그럴 일이 좀 있었대요.

으…, 왜 이렇게
안 열려!

좀 더 밀어봐!
한 번 더—!!

혹시 암호를
걸어놓은 게 아닐까?

제 생각엔 문에 적혀 있는
글이 중요할 것 같은데…,
바우 누나한테 해석해
보라고 하면 어떨까요?

됐네요!!

밑져야
본전이잖아요.

바우 누나, 한번 해보시겠어요?

으응….

저건 할머니가 가르쳐주신 고대 엘프족의 문자가 맞아!

바우 너 자꾸 거짓말 할래?!

누나, 신경쓰지 말고 해석해 보세요.

으응….

대부분 쓸데없는 말들이고…, 핵심은 이거야!

뭔데요?

핵심은….

〈메이플 3권〉에서 가장 재미있었던 내용은 무엇이었나요? 애독자가 뽑은 재미 베스트 3!!

3위 바우가 점쟁이 타타모에게 보석 같은 자신의 얼굴을 보여줬으니 5천 메소를 돌려달라며 강제로 빼앗은 것.

181

옆으로 밀어라!

옆으로 밀래~!!

죽을 것까진 없고~
열 대씩만 맞자!

바우 님, 죽을 죄를
지었습니다!

바우 누나….

응,
너는 예외야.

그게 아니라요,
아까 대부분 쓸데없는
말이라고 하셨는데,
그것도 해석해
주시면 안 될까요?
궁금해서요….

별것 아니라니까 참~.
문은 1분 후에 닫히고,
다시는 안 열린다….
뭐 그런 내용이야.

〈메이플 37권〉 앙케이트 "2010년 새해에 꼭 이루고 싶은 소원은?"

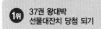
1위 37권 왕대박
선물대잔치 당첨 되기

2위 공부 잘하기

3위 가족의
건강과 행복

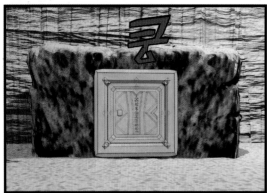

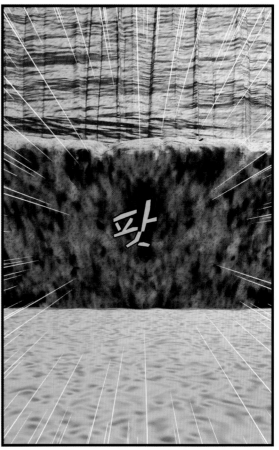

애독자엽서 당첨을 축하합니다!! *선물은 3월 10일까지 보내드립니다

• 방승원 대전시 대덕구 오정동 • 백선영 서울시 영등포구 영등포동 • 성시원 서울시 구로구 신도림동 • 양예린 경기도 용인시 풍덕천2동 • 양정규 전북 전주시 덕진구 • 오승환 경북 상주시 신봉동 • 원보라 울산시 북구 매곡동 • 위영재 광주시 광산구 월계동 • 유현정 전북 익산시 동산동 • 이성민 경기도 고양시 일산구 • 이소보 경기도 수원시 권선구 • 조사랑 전남 영광군 군서면 • 최영준 경기도 용인시 수지구 • 허도영 전북 전주시 완산구 • 홍인화 대전시 유성구 지족동

꼬맹이들 흔적이 암벽 앞에서 사라졌어요.

돌 속을 통과했다는 거야, 뭐야?

탁 탁

이 안에 〈생명의 동굴〉이…!

위이잉

꽈지지직

우와~,
눈 깜짝할 사이에
깊게도 팠네!

과과과과

차악

애, 얘들아…!

덜
덜
덜

〈코믹 메이플스토리〉 38권을 마감하며! ♥
〈코믹 메이플스토리〉를 읽다보면 저도 모르게 소리내서 대사를 따라하게 되는 경우가 많아요. 특히
바우가 하는 말은 입에 짝짝 달라붙는답니다.^^ 바우가 밥 먹자고 외칠 때는 저도 따라서 밥타령을
하게 되지요. 그러고 보면 마감 때마다 살이 찌는 건 바우 때문일지도…? ㅠㅠ (편집부 꼬미)

혼테일이 화났다!! 코믹 메이플스토리 ㉟권을 기대해 주세요!

코믹 메이플스토리 와자지껄
만화가 서정은의 화실이야기

이게 뭔 상황?

선생님께서 토끼 좀 봐달라며 급히 뛰어가시던데….

토끼가 감기 걸렸나봐요.

콧물도 흘린 것 같아.

혹시 신종 플루!

다른 토끼한테 안 옮기게 얼른 격리시켜요!!

너희들 뭐 하냐?

토끼가 신종 플루라 격리시켰어요!

근데 휴지는 왜?

방금 전 상황!

목말랐지?

앗! 물이 넘쳤다!

예고~, 토끼 코에 물 들어갔네….

잠깐만~, 휴지 가져올게!

코믹 메이플스토리

다른그림찾기

아래 그림은 국내 최초 수학논술만화 〈수학도둑 14권〉의 표지입니다.
Ⓐ 표지와 Ⓑ 표지를 비교하여 다른 점 5가지를 찾아보셔요!
정답자 중 10분을 추첨하여 서정은 선생님의 친필 사인, 〈코믹 메이플스토리〉
만화원고원화, 편집부에서 준비한 소정의 선물을 집으로 보내드립니다.

✚ **행사 참여 방법** : 네이버 팬카페 http://cafe.naver.com/comixrpg에
　　　　　　　　접속하시면 대문에 '다른그림찾기 응모방법'에 대해
　　　　　　　　자세히 적혀 있어요.
✚ **행사 기간** : 2010년 2월 20일 ~ 2010년 3월 10일
✚ **당첨자 발표** : 2010년 3월 15일

✚ 〈내 솜씨 최고〉 코너는 〈왕대박 선물대잔치 당첨자 발표〉로 쉽니다. 39권에서 만나요!

〈코믹 메이플스토리 36권〉
다른그림찾기 정답

1000만부 돌파기념 왕대박 선물 대잔치 당첨자 발표!!

*당첨된 선물은 3월 10일까지 집으로 보내드립니다.

당첨을 축하합니다^_^

1. 닌텐도 DS Lite (1명)
정성재 : 경기도 부천시 소사구

2. 닌텐도 DS 게임 〈리듬세상〉 (1명)
임정연 : 경기도 의왕시 삼동

3. 닌텐도 DS 게임 〈소닉러시〉 (1명)
신성우 : 경기도 의정부시 호원동

4. 닌텐도 DS 게임 〈포켓몬스터 Pt 기라티나〉 (1명)
장상원 : 대구광역시 동구 효목2동

5. 닌텐도 Wii (1명)
손병민 : 서울시 강서구 등촌3동

6. 어린이 야구 글러브 (2명)
김지후 : 경기도 용인시 죽전동
이수민 : 경기도 남양주시 덕소리

7. 어린이 보호 헬멧 (3명)
백예림 : 경남 진주시 신안동
황윤주 : 경기도 고양시 일산서구
권지민 : 서울시 강남구 역삼2동

8. 레고 도개교 방위 (2명)
유지민 : 경북 경산시 옥산동
윤보섭 : 경기도 안산시 상록구

9. 레고 군인의 요새 (2명)
김영환 : 전남 여수시 안산동
장우진 : 경남 통영시 미수동

10. 레고 해적선 (1명)
노은성 : 대구광역시 달서구 용산동

11. 도서문화상품권 1만 원권 (5명)
김성빈 : 부산광역시 해운대구 우동
김동현 : 서울시 구로구 고척1동
이승찬 : 광주광역시 서구 광천동
이정로 : 경기도 양주시 삼숭동
김용하 : 울산광역시 울주군 범서읍

12. 인라인 스케이트 (2명)
김은수 : 전남 여수시 문수동
김예림 : 경기도 성남시 분당구

13. 어린이 안전 야구공 세트 (2명)
허진우 : 서울시 성북구 돈암2동
김준영 : 서울시 송파구 거여동

14. 어린이 안전 보호대 세트 (5명)
이동령 : 경기도 광명시 하안동
양대성 : 서울시 영등포구 영등포본동
정윤아 : 서울시 영등포구 양평동
엄선주 : 부산광역시 진구 전포2동
권형준 : 서울시 서초구 서초1동

15. 메이플 손목시계 (15명)
권상혁 : 대구광역시 달성군 화원읍
유다미 : 서울시 동작구 사당1동
유주연 : 경기도 안산시 상록구
방수미 : 충남 연기군 금남면
여지원 : 전남 목포시 죽교동
전고은 : 경기도 수원시 장안구
김아선 : 경기도 고양시 일산서구
권이진 : 경기도 안양시 동안구
이진우 : 서울시 관악구 신사동
박순주 : 서울시 구로구 구로5동
최지희 : 경기도 군포시 금정동
오현욱 : 전북 무주군 안성면
정제혁 : 제주 제주시 연동
김민혁 : 충남 천안시 백석동
박성우 : 대전광역시 서구 둔산동

16. MP3 플레이어 2GB (1명)
신예찬 : 전남 화순군 만연리

17. 어린이 보호 장갑 (3명)
정진욱 : 서울시 서초구 서초2동
오찬영 : 인천시 계양구 서운동
강성준 : 전남 목포시 연산동

18. NASA 우주비행사 우주식량 (5명)
이동현 : 경기도 수원시 장안구
황수빈 : 경기도 고양시 덕양구
이재민 : 경기도 화성시 우정읍
맹주현 : 충남 논산시 노성면
고승수 : 경기도 군포시 수리동

19. 수학도둑⑬+한자도둑❸+스터디플래너 (10명)
하재홍 : 울산광역시 울주군 범서읍
임재리 : 서울시 관악구 청룡동
최세린 : 경기도 용인시 수지구
김예지 : 인천광역시 남구 주안3동
조영근 : 경기도 시흥시 정황3동
김보령 : 대구광역시 북구 침산2동
진성녕 : 울산광역시 남구 무거동
황희진 : 경기도 고양시 일산동구
박혜리 : 경기도 양평 용문동
전영주 : 대구광역시 달서구 죽전동

20. 후지 카메라와 즉석필름 (3명)
박민정 : 부산광역시 북구 금곡동
김지현 : 서울시 강북구 번3동
이채영 : 충북 충주시 호암동

21. 천체망원경 (1명)
배진석 : 전북 전주시 덕진구

22. 떼기쟁이들 무릉도원 (10명)
임유섭 : 광주광역시 서구 농성2동

박용석 : 광주광역시 광산구 월곡1동
이인성 : 경기도 남양주시 진접읍
윤여환 : 충남 부여군 부여읍
조윤호 : 서울시 동대문구 장안2동
임해신 : 전북 전주시 덕진구
송수빈 : 경기도 안산시 단원구
반유민 : 서울시 강동구 암사2동
임부택 : 서울시 강서구 방화1동
최형원 : 경북 포항시 북구

23. 다이모 세트 (3명)
정봄스민 : 서울시 성북구 보문동
박해인 : 경기도 안산시 단원구
이지혜 : 서울시 강서구 내발산동

24. MLB모자 (2명)
정상철 : 전남 여수시 둔덕동
정재욱 : 광주광역시 북구 양산동

25. S보드 (1명)
김세훈 : 대구광역시 달서구 감삼동

26. 농구공 (3명)
신희원 : 경기도 성남시 수정구
문민웅 : 광주광역시 서구 금호동
최지완 : 전북 전주시 완산구

27. 어린이 축구 드리블 세트 (3명)
이승주 : 충남 천안시 서북구
김준엽 : 충북 음성군 상성면
김세진 : 경기도 군포시 당동

28. 어린이과학동아 1년 정기구독권 (2명)
이유림 : 경북 문경시 문경읍
임예빈 : 서울시 구로구 구로3동

29. 수학동아 1년 정기구독권 (2명)
백민지 : 경북 칠곡군 왜관읍
김예준 : 경기도 의왕시 삼동

30. 과학소년 1년 정기구독권 (2명)
박일환 : 경기도 안양시 만안구
진혜선 : 서울시 강동구 천호2동

31. 펜패드 (10명)
양은정 : 서울시 성동구 옥수2동
이승섭 : 광주광역시 서구 풍암동
이윤주 : 충남 천안시 서북구
김건우 : 경북 구미시 도량2동
윤호진 : 경남 창원시 반림동
이지연 : 경기도 수원시 영통구
정휘아 : 대전광역시 대덕구 법2동
허 훈 : 서울시 중랑구 신내동
주유라 : 경남 창원시 남양동
유호연 : 서울시 서대문구 홍제1동